CHEFS-D'ŒUVRE DE LA

TATE
GALLERY

LONDRES

CHEFS-D'ŒUVRE DE LA

TATE GALLERY

LONDRES

AVANT-PROPOS DE NICHOLAS SEROTA

TEXTE DE ROBERT UPSTONE

EDITIONS ABBEVILLE

NEW YORK - PARIS - LONDRES

Couverture : Dante Gabriel Rossetti (1828-1882), *Proserpine*, 1874, détail. Huile sur toile, 125,1 x 61 cm.
Quatrième de couverture : David Hockney (né en 1937), *A Bigger Splash*, 1967. Acrylique sur coutil de coton, 242,6 x 243,8 cm.
Dos : Henry Moore, *Roi et Reine*, 1952-1953, fondu en 1957. Voir p. 271.
Frontispice : William Blake, *Elohim créant Adam*, 1795/vers 1805, détail. Voir p. 107.
Page 6 : Lucian Freud, *Jeune Fille au chien blanc*, 1950-1951, détail. Voir p. 279.
Page 8 : Extérieur de l'entrée principale.
Page 13 : Extérieur de la Clore Gallery.
Page 14 : Ecole anglaise, *Les Dames Cholmondeley*, vers 1600-1610, détail. Voir p. 26.
Page 48 : William Hogarth, *Le Peintre avec son carlin*, 1745, détail. Voir p. 56.
Page 102 : Joseph Mallord William Turner, *Tempête de neige : bateau à vapeur au large d'une rade*, exposé en 1842, détail. Voir p. 124.
Page 142 : William Holman Hunt, *L'Eveil de la conscience*, 1853, détail. Voir p. 159.
Page 208 : David Bomberg, *Le Bain de boue*, 1914, détail. Voir p. 236.

SOMMAIRE

AVANT-PROPOS

Avec son incomparable collection, embrassant cinq siècles d'art anglais, la Tate Gallery offre au visiteur, en même temps qu'un point de vue exhaustif de l'école nationale, un saisissant aperçu de l'esprit et de l'âme britanniques – de leurs goûts et de leurs préoccupations, de leurs préférences et de leurs préjugés. Les artistes du passé créaient non seulement pour leur propre plaisir mais pour répondre à la demande des collectionneurs, des commanditaires et du public. Bien des constantes se dessinent : et tout d'abord l'amour du paysage, souvent rendu avec un lyrisme inimitable, mais aussi l'amour du portrait psychologique et réaliste, ou l'accord maintenu entre le texte et l'image, au besoin grâce à un humour virulent, dans la caricature ; ou encore le goût pour les animaux ou l'amour de la mer ; telle, au gré de ces sujets divers, apparaît la spécificité anglaise.

J'espère que ce petit livre sera pour son lecteur une entrée en matière dans la richesse et la grandeur de l'art anglais. Et à celui qui ne connaîtrait pas encore la Tate Gallery de Londres, Liverpool ou St. Ives, qu'il donnera envie d'y aller et d'y revenir !

Nicholas Serota,
directeur de la Tate Gallery

INTRODUCTION

La Tate Gallery, par ailleurs surtout connue pour ses collections d'art moderne, présente la production artistique du Royaume-Uni du XVIe siècle à nos jours. Ce livre fournit un aperçu des œuvres anglaises les plus remarquables, parmi lesquelles des peintures, des aquarelles, des dessins et des sculptures de toutes les époques, ainsi que plusieurs pièces construites au cours des dernières décennies dans d'autres matériaux. Certains des artistes anglais ici représentés jouissent de l'admiration universelle, comme Blake ou Turner. Mais beaucoup d'artistes injustement moins célèbres, surtout à l'étranger, et nombre d'œuvres extraordinaires méritent la même reconnaissance.

La Tate Gallery, à Millbank, présente actuellement les œuvres anglaises dans le même bâtiment que l'art moderne étranger. Néanmoins, avec l'ouverture, à la fin de ce siècle, de la nouvelle Tate Gallery of Modern Art dans la voisine Bankside Power Station réaménagée, Millbank retrouvera sa fonction originelle de Tate Gallery of British Art et sera en mesure d'offrir un panorama complet de l'école anglaise.

Comparée à celles de ses aînés la National Gallery et le British Museum, l'histoire de la Tate Gallery est courte.

Sa fondation est due à un acte de philanthropie, et d'autres actions généreuses ont contribué à son développement. Le musée, ouvert pendant l'été 1897 par le prince de Galles, tirait son nom de son bienfaiteur, le magnat du sucre Sir Henry Tate (1819-1899). Tate, après des débuts modestes, avait fait fortune dans le sucre raffiné, notamment le sucre en morceaux. Non seulement Henry Tate donnait à la nation sa vaste collection de tableaux anglais, pour l'essentiel du XIXᵉ siècle, mais il finançait la construction d'un élégant bâtiment néo-classique pour l'abriter. Conçu par Sidney J. R. Smith, il fut édifié aux bords de la Tamise, à l'emplacement de la fameuse prison de Millbank, démolie en 1892. Henry Tate était convaincu que l'art avait le pouvoir de former et de transformer l'existence de ceux qui y avaient accès, et depuis, le musée a toujours ouvert ses portes à un large public d'enthousiastes. Comme le rappelle l'inscription du fondateur sur le bâtiment, Tate entendait également faire du musée « un encouragement pour l'art anglais et une offrande en reconnaissance d'une fructueuse carrière industrielle longue de soixante ans ».

Pour la nouvelle ouverture de son musée, la collection de soixante-cinq peintures et de trois sculptures de Henry Tate était renforcée d'œuvres anglaises transférées de la National Gallery et du South Kensington Museum (l'actuel Victoria and Albert Museum). Dans le même lot, venaient plusieurs tableaux acquis précédemment pour la nation grâce à des fonds spéciaux du sculpteur Sir Francis Chantrey. Les œuvres qui rejoignaient le musée par ces diverses provenances étaient pour la majorité du XIXe siècle.

Depuis 1897, le bâtiment d'origine a été largement agrandi, tout comme les collections. Henry Tate a été à l'origine d'une première extension achevée en 1899, et les additions suivantes ont été financées par le marchand d'art Sir Joseph Duveen et son fils. Au long du XXe siècle, les collections se sont accrues en dimension et en variété ; la Tate détient aujourd'hui d'importantes collections d'œuvres anglaises de toutes les époques.

Le plus imposant groupe d'œuvres dues à un seul artiste est de Turner – près de trois cents huiles et plusieurs milliers de dessins et d'aquarelles. Reçus par la nation de l'héritage du peintre, ils sont conservés dans la Clore Gallery, conçue à cet effet, et dont l'ouverture en 1897 a été permise par la générosité de la Clore Foundation. Pour la première fois, un choix pleinement représentatif de l'œuvre de Turner, dans toutes les techniques et de toutes les périodes, était regroupé sous un même toit, bénéficiant toujours d'un large succès auprès du public.

Dans les dernières années, des œuvres anglaises du XXe siècle ont également été présentées dans les musées que la Tate Gallery a ouverts en province, à Liverpool et à

St. Ives. De plus, la nouvelle politique de renouveler l'accrochage chaque année à Londres a permis à la Tate d'exposer un plus vaste échantillon de ses riches collections, car l'espace actuel de Millbank ne permet d'en montrer qu'un cinquième à la fois.

Ce livre n'offre qu'un faible aperçu de la grande diversité des chefs-d'œuvre de l'art anglais de toutes les époques que l'on peut admirer à la Tate Gallery. C'était une gageure de limiter pour cette présentation le nombre des artistes et des œuvres, et beaucoup ont dû être sacrifiés, auxquels une histoire de l'art plus complète accorderait la place qui leur revient parmi leurs pairs.

XVIe ET XVIIe SIÈCLES

Les œuvres les plus anciennes de la Tate Gallery remontent au XVIe siècle. A la suite de la rupture d'Henry VIII avec l'Eglise catholique romaine, la peinture religieuse anglaise cesse pendant quelque temps et la peinture de chevalet est presque entièrement dévolue au portrait. Le peintre du roi est Hans Holbein le Jeune ; l'un de ses suiveurs, John Bettes, exécute en 1545 le plus ancien portrait de notre collection, le portrait d'un inconnu au béret noir (p. 17).

Le genre demeure central dans l'art anglais au long des XVIe et XVIIe siècles, et au-delà. Ses représentants anciens les plus prestigieux sont, dans l'ordre chronologique, Hans Eworth, Marcus Gheeraerts le Jeune, Paul van Somer, Anthony Van Dyck, William Dobson, Peter Lely et Godfrey Kneller. Comme leurs noms le laissent deviner, tous ces peintres, mis à part Dobson, sont nés et ont été formés sur le continent. Mais ils ont vécu en Grande-Bretagne à un moment ou un autre et c'est dans ce pays qu'ils ont rencontré le succès et ont fait école ; certains d'entre eux ont été faits chevaliers. La collection de la Tate comprend de beaux exemples de chacun d'entre eux, que notre choix représente également.

Le développement spécifique de l'école anglaise doit donc beaucoup à l'influence de peintres étrangers. En dépit de leur origine, la Tate les range dans l'école anglaise, à cause de leur séjour et de leur activité dans l'île, et de leur influence souvent profonde sur la peinture anglaise proprement dite. D'ailleurs, à tous les siècles, la marque des étrangers a été fondamentale pour l'art anglais. Selon les époques et à des degrés fort divers, les styles flamand, hollandais, français, allemand, espagnol et italien ont chacun joué leur rôle, transmis soit par des artistes installés en Angleterre, soit par l'enthousiasme suscité chez les artistes et les mécènes anglais pour ces écoles.

Au XVIIe siècle, le portrait anglais s'éloigne des images en gros plan, quelque peu stylisées et hautement décoratives (souvent des miniatures) de la période élisabéthaine, et tend à plus de naturalisme, quoique cela n'aille pas sans affèterie. Alors que les représentations élisabéthaines visaient surtout à témoigner du rang et de la position sociale du modèle, tout en rendant fidèlement sa physionomie, les œuvres suivantes tendent à exprimer dans leur plénitude la personnalité et la vie intérieure. Dans son portrait d'Endymion Porter (p. 36), par exemple, Dobson parsème autour du modèle des allusions à son amour passionné des arts et à sa connaissance de l'Antiquité, ainsi qu'à sa passion moins intellectuelle pour la chasse. Porter était l'un des courtisans les plus en vue de Charles Ier, et à l'époque du portrait il participait à sa lutte contre le

John Bettes (actif 1531-1570)
Homme au béret noir, 1545
Huile sur panneau, 47 x 41 cm

Parlement, qui devait conduire à l'exécution du monarque. Dobson exprime brillamment la personnalité de Porter – peut-être même la tension causée par la guerre – avec une sensibilité qui n'a d'égale que sa subtilité.

Le XVIIᵉ siècle voit encore la naissance de deux courants appelés à devenir prépondérants dans la peinture anglaise : le paysage et les représentations animalières ou cynégétiques. L'un des plus anciens et des plus remarquables paysagistes anglais est une fois de plus un étranger. Jan Siberechts arrive de Flandres en Angleterre en 1674, où il s'établit définitivement. L'un de ses chefs-d'œuvre, *Paysage à l'arc-en-ciel, Henley-on-Thames* (p. 41), peint vers 1690, est le plus important paysage ancien de la Tate Gallery. Siberechts a saisi toutes les nuances et les contrastes de la lumière tombant sur la ville et la campagne, dans ce qui se veut une célébration du paysage anglais, voire de son climat. Cette sorte de naturalisme lyrique allait devenir une constante dans le paysage anglais, pour trouver son apogée dans l'œuvre de Constable et Turner, au XIXᵉ siècle.

L'un des premiers exemples de peinture animalière à la Tate est le tableau délicieusement exubérant de Francis Barlow, *Singes et épagneuls jouant* (p. 40). Peint en 1661, il devait probablement être placé au-dessus d'une porte dans un château.

Les Anglais allaient montrer une passion toujours renouvelée pour le genre, qui atteint son sommet au XIXe siècle, dans un registre souvent plus sauvage qu'ici.

Hans Eworth (actif 1540-1573)
Portrait d'une dame, probablement de la famille Wentworth,
vers 1565-1568. Huile sur panneau, 99,8 x 61,9 cm

Ecole anglaise (XVIᵉ siècle)
Allégorie de l'homme, vers 1570
Huile sur panneau, 57 x 51,4 cm

George Gower (vers 1540-1596)
Sir Thomas Kytson, 1573
Huile sur panneau, 52,7 x 40 cm

Attribué à Robert Peake (1551?-1619)
Lady Elizabeth Pope, vers 1615
Huile sur panneau, 77,5 x 61 cm

Marcus Gheeraerts le Jeune (1561/1562-1636)
Portrait de Mary Rogers, Lady Harington, 1592
Huile sur panneau, 113 x 85,1 cm

Marcus Gheeraerts le Jeune (1561/1562-1636)
Portrait du capitaine Thomas Lee, 1594
Huile sur toile, 230,5 x 150,8 cm

Ecole anglaise (XVIIᵉ siècle)
Les Dames Cholmondeley, vers 1600-1610
Huile sur panneau, 88,9 x 172,7 cm

Cornelius Johnson (1593–1661)
Portrait de Susanna Temple, future Lady Lister, 1620
Huile sur panneau, 67,9 x 51,8 cm

Paul van Somer (vers 1576–vers 1621/1622)
Lady Elizabeth Grey, comtesse de Kent, vers 1619
Huile sur panneau, 114,3 x 81,9 cm

Daniel Mytens l'Ancien (vers 1590–vers 1647)
*Portrait de James Hamilton, comte d'Arran, futur 3ᵉ marquis
et 1ᵉʳ duc d'Hamilton, à l'âge de dix-sept ans,* 1623
Huile sur toile, 200,7 × 125,1 cm

Ecole anglaise (XVIIᵉ siècle)
Portrait de William Style of Langley, 1636
Huile sur toile, 205,1 x 135,9 cm

Ecole anglaise (XVIIᵉ siècle)
Portrait de Sir Thomas Pope, futur 3ᵉ comte de Downe, vers 1635
Huile sur toile, 202,6 x 119,4 cm

David Des Granges (1611/1613-1675?)
La Famille Saltonstall, vers 1636-1637
Huile sur toile, 214 x 276,2 cm

Sir Anthony Van Dyck (1599-1641)
Une dame de la famille Spencer, vers 1633-1638
Huile sur toile, 207,6 x 127,6 cm

Gilbert Jackson (actif 1622–1640)
Une dame de la famille Grenville et son fils, 1640
Huile sur toile, 74,2 x 60,8 cm

William Dobson (1611-1646)
Portrait de la femme de l'artiste, vers 1635-1640
Huile sur toile, 61 x 45,7 cm

William Dobson (1611–1646)
Endymion Porter, vers 1642–1645
Huile sur toile, 149,9 x 127 cm

Gerard Soest (vers 1600-1681)
Portrait d'un gentilhomme avec un chien,
probablement Sir Thomas Tipping, vers 1660
Huile sur toile, 93,9 x 114,9 cm

Sir Peter Lely (1618-1680),
Deux dames de la famille Lake, vers 1660
Huile sur toile, 127 x 181 cm

Sir Peter Lely (1618-1680)
Margaret Hughes, vers 1670-1675
Huile sur toile, 125,1 x 100,3 cm

Francis Barlow (1626/1627-1704)
Singes et épagneuls jouant, 1661
Huile sur toile, 105,5 x 132 cm

Jan Siberechts (1627-vers 1700)
Paysage à l'arc-en-ciel, Henley-on-Thames, vers 1690
Huile sur toile, 81,9 x 102,9 cm

John Michael Wright (1617-1694)
Sir Neil O'Neill, 1680
Huile sur toile, 232,7 x 163,2 cm

Mary Beale (1633-1699),
Portrait de jeune fille, vers 1681
Huile sur toile, 53,5 x 46 cm

Sir Godfrey Kneller (1646-1723)
Portrait de John Banckes, 1676
Huile sur toile, 137,2 x 101,6 cm

Sir Godfrey Kneller (1646–1723)
Le Premier Marquis de Tweeddale, 1695
74,9 x 63,5 cm

Edward Collier (actif 1662-1707)
*Trompe-l'œil de journaux, de lettres et d'instruments d'écriture
sur un tableau de bois*, vers 1699
Huile sur toile, 58,8 x 46,2 cm

Marmaduke Cradock (1660-1717)
Un paon et d'autres oiseaux dans un paysage, vers 1700
Huile sur toile, 76,1 x 63,2 cm

WILLIAM HOGARTH ET SES SUCCESSEURS

La figure la plus importante de l'art anglais dans la première moitié du XVIIIᵉ siècle est William Hogarth, que l'on a justement qualifié de « père de la peinture anglaise ». Hogarth a inventé un style anglais par excellence, déterminant pour la formation, à partir des années 1730, d'une génération d'artistes autochtones. Passionnément patriote, Hogarth était fier de l'identité et de la spécificité toutes nouvelles de l'art de son pays. La Tate Gallery possède un grand nombre de ses œuvres, dont son autoportrait au carlin, si délibérément plein d'assurance (page ci-contre, et p. 56), ainsi que le célèbre *A la porte de Calais* (p. 57). Ici, Hogarth donne libre cours à ses sentiments anti-français, dus pour partie à son arrestation à Calais en 1748, où il fut soupçonné d'espionnage. Le grand morceau de bœuf, que lorgnent des soldats faméliques, symbolise dans le tableau la prospérité anglaise comparée à celle de la France. Le moine obèse personnifie pour le protestant Hogarth la vénalité de l'Eglise catholique romaine. A l'extrême gauche, Hogarth s'est représenté, un carnet de dessins à la main, au moment même où les Français vont lui mettre la main dessus.

La deuxième moitié du XVIIIᵉ siècle voit l'irrésistible développement de l'art élégant du portrait. Nombre de portraits sont peints dans ladite « manière noble » – c'est-à-dire en empruntant à Michel-Ange et Raphaël un style épique et majestueux. Les sujets qu'appelait tout naturellement ce style correspondaient à la peinture d'histoire inspirée de l'Antiquité, de la Bible ou de Shakespeare, tels que l'ont traitée Benjamin West, James Barry et John Hamilton Mortimer. Le chef de file de cette tradition est Reynolds, premier président de la Royal Academy, qui représente non sans flatterie ses modèles en personnages de la mythologie ou de l'histoire ancienne. Son grand rival, dans le domaine du portrait, est Gainsborough, qui à un sens du panache issu du grand style ajoute une délicatesse et une caractérisation subtile. Les différences entre les deux peintres sautent aux yeux quand on confronte le brio quelque peu austère des *Trois dames ornant un terme de l'Hymen* de Reynolds (p. 70), et la plus gracile *Giovanna Baccelli* de Gainsborough (p. 77). En réalité, l'intérêt majeur de ce dernier se portait au paysage, genre où il excella, mais il devait ses plus grands succès commerciaux à ses portraits.

Le paysage n'en reste pas moins un élément essentiel de la peinture anglaise dans la deuxième moitié du XVIIIe siècle. Il n'est guère de collection privée, dans les châteaux à la campagne, qui n'ait compté son paysage du Gallois Richard Wilson, s'inspirant du classicisme idéaliste de Claude Lorrain. La fin du siècle, et jusqu'au

début du suivant, voit naître le goût pour le paysage dit
« sublime », expression de terreur devant les forces déchaî-
nées de la nature. Le paysage « sublime » du XVIIIᵉ siècle
trouve son représentant typique dans le *Vésuve en érup-*
tion, avec une vue des îles de la baie de Naples par Joseph
Wright (p. 84), magnifiquement bâti sur le contraste
entre la mortelle coulée de lave incandescente et la froi-
deur impassible du clair de lune.

Charles Collins (vers 1680-1744)
Homard sur un plat de Delft, 1738
Huile sur toile, 70,5 x 91 cm

Joseph Highmore (1692-1780)
Mr. Oldham et ses invités, vers 1735-1745
Huile sur toile, 105,5 x 129,5 cm

John Wootton (1682?-1764)
Muff, chien blanc et noir, vers 1740-1750
Huile sur toile, 125,1 x 101,6 cm

William Hogarth (1697-1764)
Satan, le Péché et la Mort (Une scène du Paradis perdu de Milton),
vers 1735-1740
Huile sur toile, 61,9 x 74,5 cm

William Hogarth (1697-1764)
Le Peintre avec son carlin, 1745
Huile sur toile, 90 x 69,9 cm

William Hogarth (1697-1764)
A la porte de Calais, 1748
Huile sur toile, 78,8 x 94,5 cm

George Lambert (1700–1765)
Vue de Box Hill, Surrey, 1733
Huile sur toile, 90,8 x 180,4 cm

James Seymour (1702?-1752)
Une mise à mort à Ashdown Park, 1743
Huile sur toile, 180,3 x 238,8 cm

Balthazar Nebot (actif 1730–1765)
Le Marché à Covent Garden, 1737
Huile sur toile, 64,8 x 122,8 cm

Samuel Scott (vers 1702-1772)
Une arche du pont de Westminster, vers 1750
Huile sur toile, 135,7 x 163,8 cm

Allan Ramsay (1713-1784)
*Thomas, 2ᵉ baron Mansel of Margam avec
ses demi-frères et sœur Blackwood*, 1742
Huile sur toile, 124,5 x 100,3 cm

Arthur Devis (1711-1787)
La Famille James, 1751
Huile sur toile, 98,4 x 124,5 cm

Francis Hayman (1708-1776)
Thomas Nuthall et son ami Hambleton Custance, vers 1748
Huile sur toile, 71 x 91,5 cm

Richard Wilson (1713–1782)
Rome : Saint-Pierre et le Vatican depuis le Janicule, vers 1753
Huile sur toile, 100,3 x 139,1 cm

Gavin Hamilton (1723–1798),
*Agrippine débarquant à Brindisium avec
les cendres de Germanicus*, 1765–1672
Huile sur toile, 182,5 x 256 cm

Richard Wilson (1713-1782)
Llyn-y-Cau, Cader Idris, exposé en 1774 (?)
Huile sur toile, 51,1 x 73 cm

Henry Robert Morland (1716-1797)
Lingère repassant, vers 1765-1782
Huile sur toile, 74,3 x 61,6 cm

Sir Joshua Reynolds (1723-1792)
Suzanna Beckford, 1756
Huile sur toile, 127 x 102,2 cm

Sir Joshua Reynolds (1723-1792)
Trois dames ornant un terme de l'Hymen, 1773
Huile sur toile, 233,7 x 290,8 cm

Sir Joshua Reynolds (1723-1792)
L'Amiral vicomte Keppel, 1780
Huile sur toile, 124,5 x 99,1 cm

George Stubbs (1724–1806)
Juments et poulains dans un paysage de rivière, vers 1763–1768
Huile sur toile, 101,6 x 161,9 cm

George Stubbs (1724-1806)
Moissonneurs, 1785
Huile sur panneau, 89,9 x 136,8 cm

George Stubbs (1724-1806)
Couple de Foxhounds, 1792
Huile sur toile, 101,6 x 127 cm

Thomas Gainsborough (1727-1788)
Soleil couchant : chevaux de trait buvant au ruisseau, vers 1760
Huile sur toile, 143,5 x 153,7 cm

Thomas Gainsborough (1727-1788)
Chienne de Poméranie avec son petit, vers 1777
Huile sur toile, 83,2 x 111,8 cm

Thomas Gainsborough (1727-1788)
Giovanna Baccelli, exposé en 1782
Huile sur toile, 226,7 x 148,6 cm

Francis Cotes (1726-1770)
Paul Sandby, 1761
Huile sur toile, 125,1 x 100,3 cm

Tilly Kettle (1734/1735-1786)
Mrs Yates en Mandane dans « The Orphan of China », exposé en 1765
Huile sur toile, 192,4 x 129,5 cm

Johann Zoffany (1733–1810)
La Famille Bradshaw, exposé en 1769
Huile sur toile, 162,1 x 175,3 cm

Johann Zoffany (1733-1810)
Mrs. Woodhull, vers 1770
Huile sur toile, 243,8 x 165,1 cm

Samuel Hieronymous Grimm (1733-1794)
Le Glacier de Simmenthal, 1774
Plume, encre et aquarelle sur papier, 29,5 x 37,1 cm

Joseph Wright of Derby (1734-1797)
Une forge, 1772
Huile sur toile, 121,3 x 132 cm

Joseph Wright of Derby (1734-1797)
*Le Vésuve en éruption, avec une vue des îles
de la baie de Naples,* vers 1776-1780
Huile sur toile, 122 x 176,4 cm

Joseph Wright of Derby (1734-1797)
Sir Brooke Boothby, 1781
Huile sur toile, 148,6 x 207,6 cm

George Romney (1734–1802)
La Famille Beaumont, 1777–1779
Huile sur toile, 204,5 x 271,8 cm

George Romney (1734-1802)
Lady Hamilton en Circé, vers 1782
Huile sur toile, 53,3 x 49,5 cm

Benjamin West (1738-1820)
Cléombrotus banni par Léonidas II, roi de Sparte, 1768
Huile sur toile, 138,4 x 185,4 cm

John Singleton Copley (1738-1815)
La Mort du major Peirson, le 6 janvier 1781, 1783
Huile sur toile, 251,5 x 365,8 cm

Philip James de Loutherbourg (1740–1812)
Une avalanche dans les Alpes, 1803
Huile sur toile, 109,9 x 160 cm

James Barry (1741–1806)
Le Roi Lear pleurant sur le cadavre de Cordelia, 1786–1788
Huile sur toile, 269,2 x 367 cm

Henry Füssli (1741-1825)
Le Songe du berger, tiré du Paradis perdu, 1793
Huile sur toile, 154,3 x 215,3 cm

Henry Füssli (1741-1825)
Lady Macbeth saisissant les poignards, exposé en 1812 (?)
Huile sur toile, 101,6 x 127 cm

William Pars (1742-1782)
L'Intérieur du Colisée, vers 1775
Crayon, aquarelle, plume et encre sur papier, 43,5 x 59,1 cm

Thomas Jones (1742-1803)
Naples : la Capella Nuova hors la Porta di Chiaja, 1782
Huile sur papier, 20 x 23,2 cm

Henry Walton (1746-1813)
Le Plumage de la dinde, exposé en 1776
Huile sur toile, 76,2 x 63,5 cm

Sir William Beechey (1753-1839)
*Portrait des enfants de Sir Francis Ford en train de donner
une pièce à un jeune mendiant*, exposé en 1793
Huile sur toile, 180,5 x 150 cm

John Hamilton Mortimer (1740-1779)
*Sir Arthegal, le chevalier de Justice, avec Talus, l'homme de fer
(de la « Faerie Queene » de Spenser)*, exposé en 1778
Huile sur toile, 242,6 x 146 cm

Thomas Rowlandson (1756-1827)
Paysage, île de Wight, vers 1782 (?)
Plume, encre et aquarelle sur papier, 20 x 27,6 cm

John Opie (1761-1807)
La Famille du paysan, vers 1783-1785
Huile sur toile, 153,7 x 183,5 cm

George Morland (1763-1804)
Le Thé au jardin, vers 1790
Huile sur toile, 40,6 x 50,5 cm

LE ROMANTISME
ET LE DÉBUT DU XIXe SIÈCLE

La première moitié du XIXe siècle voit l'essor prodigieux de la peinture de paysage, à laquelle certains artistes essaient d'assurer une reconnaissance définitive dans la hiérarchie des genres. L'un des plus importants paysagistes du début du siècle est Constable, dont les « six-footers » (tableaux de six pieds, environ 180 cm) entendaient, contre les idées reçues, assimiler en dignité, par ces amples dimensions, le paysage à la peinture d'histoire. A l'origine de ses œuvres, il y a une observation minutieuse de la nature, où l'artiste perçoit le reflet de la création divine. Ces paysages, qui respirent pour nous le calme et la paix, semblèrent trop audacieux lors de leur première présentation au public, au début du XIXe siècle. Bien que Constable n'ait rencontré qu'un succès limité de son vivant, ses paysages ont pris glorieusement leur place parmi les chefs-d'œuvre de la Tate Gallery.

Turner est, en Angleterre, le plus grand novateur de son époque, et probablement de son siècle. Constable disait de lui qu'il peignait « avec de la vapeur colorée », car ce sont précisément les effets changeants, transitoires, de la lumière et de l'atmosphère qui sont la marque distinctive de la plupart de ses tableaux. Turner, à ses débuts, remporte un grand succès auprès de la Royal

Academy, mais autour des années 1840, son style parvenu à maturité est condamné pour son « flou », et sa conception du paysage ressentie comme excentrique, sinon totalement irrationnelle. Au cours de sa longue carrière, il reste fasciné par la menace des cataclysmes naturels, comme on le voit notamment dans *Tempête de neige : Hannibal et son armée traversant les Alpes* (p. 120) et *Tempête de neige : bateau à vapeur au large d'une rade* (p. 102 et 124). Cette dernière œuvre, qui est devenue l'une des plus célèbres de son auteur, excita la risée de la critique, qui n'y vit que « mousse de savon et blanc de chaux ». Turner voulait rendre sensible l'être pris dans une violente tourmente en mer, plutôt que de l'évoquer par un détail minutieux, mais c'est par cette vision qu'il dévoile un réalisme supérieur.

L'autre génie de la fin du XVIIIe siècle et du début du XIXe est William Blake, visionnaire qui, au contraire de Constable et de Turner, s'est entièrement voué à sa réalité intérieure. Méconnu en son temps, Blake apparaît aujourd'hui comme l'un des esprits les plus originaux d'alors. Adversaire passionné du matérialisme, il conçoit son existence comme une quête mystique. Dessinateur et écrivain, il est l'inventeur de toute une iconographie subjective, mais sa vision, hormis un petit cercle d'admirateurs, parmi lesquels les artistes John Linnell, John Varley et Samuel Palmer, a été résolument ignorée. L'œuvre de Blake est amplement représentée à la Tate, l'exemple le plus fameux étant le *Spectre d'une puce* (p. 108). C'est l'écho d'une étrange vision qu'eut Blake durant une séance chez Varley. Tandis que l'artiste la dessinait, rapporte Varley, «la puce lui dit que tous les êtres de sa race étaient habités par l'âme de semblables hommes, excessivement assoiffés de sang par nature». La Tate possède également vingt illustrations de sa série d'après Dante, faites ultérieurement à la commande de Linnell. Blake se tient légèrement en dehors du courant général de l'art anglais de la fin du XVIIIe et du début du XIXe siècles, encore qu'une tendance récurrente, dans cet art, s'attache aux productions de l'imaginaire, depuis les fantaisies cauchemardesques de Füssli (p. 92-93) jusqu'aux évocations féeriques de Richard Dadd (p. 150), en passant par la représentation apocalyptique du Jugement dernier sur le triptyque de John Martin (p. 140), au milieu du XIXe siècle.

William Blake (1757-1827)
Frontispice pour les « Visions des filles d'Albion », vers 1795
Eau-forte en couleurs finie à l'encre et
à l'aquarelle sur papier, 17 x 12 cm

William Blake (1757–1827)
Elohim créant Adam, 1795/vers 1805
Gravure en couleurs finie à l'encre et
à l'aquarelle sur papier, 43,1 x 53,6 cm

William Blake (1757-1827)
Le Spectre d'une puce, vers 1819-1820
Tempera rehaussée d'or sur panneau, 21,4 x 16,2 cm

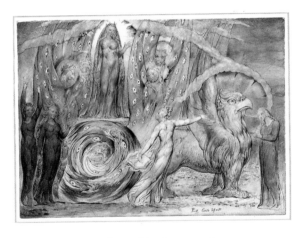

William Blake (1757-1827)
Béatrice sur son char parle à Dante, 1824-1827
Plume et aquarelle sur papier, 37,2 x 52,7 cm

Jacques-Laurent Agasse (1767-1849)
L'Ecuyer de Lord Rivers conduisant un alezan à
une course dans le Hampshire, 1807
Huile sur toile, 66 x 62,5 cm

Sir Thomas Lawrence (1769-1830)
Philadelphia Hannah, 1ère vicomtesse Cremorne, exposé en 1789
240,3 x 148 cm

Sir Thomas Lawrence (1769–1830)
Mrs. Siddons, 1804
Huile sur toile, 254 x 148 cm

Sir Thomas Lawrence (1769-1830)
Miss Caroline Fry, 1827
Huile sur toile, 75,6 x 62,9 cm

Thomas Girtin (1775-1802)
La Maison blanche à Chelsea, 1800
Aquarelle sur papier, 29,8 x 51,4 cm

Thomas Weaver (1774/1775-1843)
Une saignée dans l'élevage de Robert Bakewell à Dishley, près de
Loughborough, Leicestershire, 1810
Huile sur toile, 102,8 x 128,6 cm

John Sell Cotman (1782-1842)
La Place du marché à Norwich, vers 1806
Aquarelle sur papier, 40,6 x 64,8 cm

John Varley (1778-1842)
Faubourgs d'une ville ancienne, 1808
Aquarelle sur papier, 72,2 x 96,5 cm

Paul Sandby Munn (1773–1845)
La Fonderie de Bedlam, Madeley Dale, Shropshire, 1803
Crayon et aquarelle sur papier, 32,5 x 54,8 cm

Sir David Wilkie (1785-1841)
Le Violoniste aveugle, 1806
Huile sur panneau, 57,8 x 79,4 cm

Joseph Mallord William Turner (1775-1851)
Tempête de neige : Hannibal et son armée traversant les Alpes,
exposé en 1812. Huile sur toile, 146 x 237,5 cm

Joseph Mallord William Turner (1775-1851)
Caudebec, vers 1832
Gouache sur papier, 13,9 x 19,2 cm

Joseph Mallord William Turner (1775-1851)
Venise : S. Giorgio Maggiore depuis la Dogana, vers 1840
Aquarelle et gouache sur papier, 19,3 x 28,1 cm

Joseph Mallord William Turner (1775-1851)
Scène de plage, vers 1845
Aquarelle sur papier, 28 x 44 cm

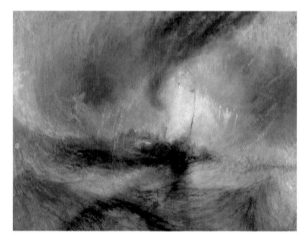

Joseph Mallord William Turner (1775-1851)
Tempête de neige : bateau à vapeur au large d'une rade,
exposé en 1842. Huile sur toile, 91,4 x 121,9 cm

Joseph Mallord William Turner (1775-1851)
La Paix - Funérailles en mer, exposé en 1842
Huile sur toile, 87 x 86,7 cm

Joseph Mallord William Turner (1775-1851)
Norham Castle, lever de soleil, vers 1845
Huile sur toile, 90,8 x 121,9 cm

John Constable (1776-1837)
Le Moulin de Flatford (« Scène sur une rivière navigable »),
1816-1817. Huile sur papier, 101,6 x 127 cm

John Constable (1776–1837)
Etude de nuages, 1822
Huile sur papier, 47,6 x 57,5 cm

John Constable (1776-1837)
Chain Pier, Brighton, 1826-1827
Huile sur toile, 127 x 182,9 cm

John Linnell (1792–1882)
Les Gravières de Kensington, 1811–1812
Huile sur toile, 71,1 x 106,7 cm

Richard Parkes Bonington (1802–1828)
Le Pont des Arts, Paris, vers 1826.
Huile sur carton, 35,6 x 45 cm

George Richmond (1809–1896)
La Création de la lumière, 1826
Tempera, or et argent sur panneau, 48 x 41,7 cm

Samuel Palmer (1805-1881)
En revenant de la messe du soir, 1830
Tempera sur papier, 30,2 x 20 cm

William Etty (1787-1849)
*Candaule, roi de Lydie, montre à la dérobée sa femme à Gygès,
l'un de ses ministres, au moment où elle va au lit*, exposé en 1830
Huile sur toile, 45,1 x 55,9 cm

William Mulready (1786-1863)
Le Dernier Entré, 1834-1835
Huile sur panneau, 62,2 x 76,2 cm

David Roberts (1796–1864)
Ronda, 1834
Crayon et aquarelle sur papier, 23,5 x 33 cm

Francis Danby (1793-1861)
Le Déluge, exposé en 1840
Huile sur toile, 284,5 x 452,1 cm

Sir Edwin Henry Landseer (1803–1874)
Dignité et Impudence, 1839
Huile sur toile, 88,9 x 69,2 cm

John Frederick Herring (1795-1865)
Le Repas frugal, exposé en 1847
Huile sur toile, 54,6 x 74,9 cm

John Martin (1789-1854),
Le Grand Jour de Sa colère, 1853
Huile sur toile, 196,8 x 325,8 cm

Richard Redgrave (1804-1888)
Dernier Regard des émigrants sur leur pays, 1858
Huile sur toile, 67,9 x 98,4 cm

LA FIN DU XIXᵉ SIÈCLE

La seconde moitié du XIXᵉ siècle voit des changements rapides dans le style, le contenu et la technique propres à l'art anglais. L'un des premiers événements, et des plus significatifs, est la fondation de la confrérie préraphaélite en 1848, par John Everett Millais, William Holman Hunt et Dante Gabriel Rossetti. Récusant tout style postérieur à Raphaël, la touche libre et la thématique triviale qui, selon eux, régnait alors, et usant d'une technique minutieuse à l'extrême, ils choisissent des sujets nobles, souvent tirés de la mythologie ou de la poésie et riches de suggestions symboliques. D'abord âprement contestés, ils ont joui progressivement d'une profonde influence, grâce à leur parrain John Ruskin. C'est à eux que l'art anglais doit une attirance accrue pour le symbolisme, patente dans l'œuvre de Burne-Jones, Watts, Leighton et chez le dernier Rossetti, tous tournés vers la dimension spirituelle de l'existence.

Les scènes de genre extraites de la vie quotidienne, souvent porteuses d'un message moral ou teintées d'humour, le XIXᵉ siècle les chérit tout particulièrement. L'innocence idyllique des tableaux rustiques du début du siècle, tels ceux de David Wilkie et William Mulready ici reproduits (p. 119 et 135), contrastent de manière saisissante avec d'autres plus tardifs, comme *Le Passé et le*

Présent, n⁰ 1 d'Augustus Leopold Egg (p. 147), avertissement moralisateur des cruelles conséquences de l'infidélité conjugale. Le mari a intercepté un billet de l'amant de sa femme, et le château de cartes qui s'écroule symbolise la ruine de leur vie commune. Première partie d'un triptyque, suivie par des tableaux retraçant la descente de la femme dans l'errance, la pauvreté, jusqu'à une mort prématurée.

Dans les années 1870, certains artistes adoptent une peinture « sociale réaliste » inspirée des difficultés journalières de l'humanité au travail, à l'usine ou aux champs. Cette peinture associe de nombreux traits de la peinture de genre à un réalisme sans complaisance. *Le Médecin* de Luke Fildes (p. 195) en est un bon exemple. Fildes n'a reculé devant rien pour garantir l'efficacité de ce qu'il voyait comme son œuvre la plus forte ; il se fit construire l'exacte réplique d'un intérieur campagnard dans son atelier de Londres, et se levait chaque matin pour étudier et traduire fidèlement l'aube.

L'une des figures emblématiques des années 1860 et 1870 est l'Américain James McNeill Whistler, défiant à son tour les idées reçues. Installé à Londres en 1859, il se fait dans les années 1870 le champion de l'art pour l'art, supprimant dans son œuvre tout recours à une narration extérieure au profit de l'atmosphère sensible. Cette approche était peu appréciée par les spectateurs de la peinture d'histoire ou du fini méticuleux, et le conflit entre les deux conceptions éclata au grand jour quand Whistler intenta un procès en diffamation contre Ruskin, après que ce dernier eut vilipendé ses toiles pour leur amoralisme. Whistler ouvrait la voie à l'adoption enthousiaste des impressionnistes par de nombreux artistes anglais des années 1880, renonçant à la suprématie du sujet pour l'amour sensuel de la couleur, de la matière et des effets lumineux.

Henry Wallis (1830-1916)
Chatterton, 1856
Huile sur toile, 62,2 x 93,3 cm

Augustus Leopold Egg (1816-1863)
Le Passé et le Présent, n° 1, 1858
Huile sur toile, 63,5 x 76,2 cm

William Dyce (1806-1864)
Pegwell Bay, Kent – souvenir du 5 octobre 1858, 1858(?)-1860
Huile sur toile, 63,5 x 88,9 cm

Edward Lear (1812–1888)
Villa S. Firenze, 1861
Plume, encre et aquarelle sur papier, 22,9 x 35,2 cm

Richard Dadd (1817-1886)
Le Coup de maître du bûcheron magicien, 1855-1864
Huile sur toile, 54 x 39,4 cm

George Mason (1818-1872)
La Pleine Lune, exposé en 1872
Huile sur toile, 86,4 x 231,1 cm

William Powell Frith (1819-1909)
Le Jour du Derby, 1856-1858
Huile sur toile, 101,6 x 223,5 cm

Walter Greaves (1846-1930)
Le Pont de Hammersmith un jour de course en bateau, vers 1862
Huile sur toile, 91,4 × 139,7 cm

Ford Madox Brown (1821-1893),
Le Champ de foin, 1855-1856
Huile sur panneau, 24,1 x 33,3 cm

Ford Madox Brown (1821-1893)
Les Derniers d'Angleterre, 1864-1866
Aquarelle sur papier, 35,6 x 33 cm

Abraham Solomon (1824-1862)
L'Attente du verdict, 1857
Huile sur toile, 101,9 x 127,3 cm

George Elgar Hicks (1824-1914)
La Mission de la femme : compagne de l'homme, 1863
Huile sur toile, 76,2 x 64,1 cm

William Holman Hunt (1827-1910),
Claudio et Isabella, 1850
Huile sur panneau, 77,5 x 45,7 cm

William Holman Hunt (1827-1910)
L'Eveil de la conscience, 1853
Huile sur toile, 76,2 x 55,9 cm

Dante Gabriel Rossetti (1828-1882)
Ecce Ancilla Domini ! (L'Annonciation), 1849-1850
Huile sur toile, 72,4 x 41,9 cm

Dante Gabriel Rossetti (1828-1882)
Beata Beatrix, vers 1864-1870
Huile sur toile, 86,4 x 66 cm

Dante Gabriel Rossetti (1828-1882)
La Bien-Aimée (« La Fiancée »), 1865-1866
Huile sur toile, 82,5 x 76,2 cm

Frederick Sandys (1829-1904)
Oriana, 1861
Huile sur panneau, 25,1 x 19 cm

Sir John Everett Millais, Bt. (1829-1896)
Le Christ dans la maison de ses parents (« L'Atelier du charpentier »),
1849-1850. Huile sur toile, 86,4 x 139,7 cm

Sir John Everett Millais, Bt. (1829-1896)
Ophélie, 1851-1852
Huile sur toile, 76,2 x 111,8 cm

Arthur Hughes (1832-1915)
Amour d'avril, 1855-1856
Huile sur toile, 88,9 x 49,5 cm

John Roddam Spencer Stanhope (1829-1908)
Le Pressoir, 1864
Huile sur toile, 94 x 66,7 cm

Frederic, Lord Leighton (1830-1896)
Athlète luttant contre un python, 1877
Bronze, 174,6 x 98,4 x 109,9 cm

Frederic, Lord Leighton (1830–1896)
Et la mer rendit les morts qui étaient en elle, exposé en 1892
Huile sur toile, diamètre : 228,6 cm

John Frederick Lewis (1805-1876)
La Sieste, 1876
Huile sur toile, 88,6 x 111,1 cm

Alphonse Legros (1837-1911)
Le Repas des pauvres, 1877
Huile sur toile, 113 x 142,9 cm

John Brett (1830-1902)
Le Glacier de Rosenlaui, 1856
Huile sur toile, 44,5 x 41,9 cm

Atkinson Grimshaw (1836–1893)
Liverpool Quay au clair de lune, 1887
Huile sur toile, 61 x 91,4 cm

James Abbott McNeill Whistler (1834–1903)
Nocturne en bleu-vert, 1871
Huile sur panneau, 50,2 x 60,8 cm

James Abbott McNeill Whistler (1834–1903)
Nocturne en bleu et or : le vieux pont de Battersea, vers 1872–1875
Huile sur toile, 68,3 x 51,2 cm

James Abbott McNeill Whistler (1834-1903)
Miss Cicely Alexander : harmonie en gris et vert, 1872
Huile sur toile, 190,2 x 97,8 cm

James Tissot (1836-1902)
Le Bal à bord, vers 1874
Huile sur toile, 84,1 x 129,5 cm

Albert Moore (1841-1893)
Jeune Fille endormie, vers 1875
Huile sur toile, 30,8 x 22,5 cm

Briton Riviere (1840-1920)
Sympathie, vers 1878
Huile sur toile, 45,1 x 37,5 cm

Joseph Farquharson (1847-1935)
Jour d'hiver sans joie, exposé en 1883
Huile sur toile, 104,1 x 180,3 cm

Sir George Clausen (1852-1944)
Travail d'hiver, 1883-1884
Huile sur toile, 77,5 x 92,1 cm

Sir Edward Coley Burne-Jones, Bt. (1833-1898)
Le Roi Cophetua et la mendiante, 1884
Huile sur toile, 293,4 x 135,9 cm

Sir Edward Coley Burne-Jones, Bt. (1833–1898)
L'Amour et le pèlerin, 1896–1897
Huile sur toile, 157,5 x 304,8 cm

Lady Elizabeth Butler (1846-1933)
Les Restes d'une armée, 1879
Huile sur toile, 132,1 x 233,7 cm

L'Hon, John Collier (1850-1934)
Le Dernier Voyage d'Henry Hudson, exposé en 1881
Huile sur toile, 214 x 183,5 cm

William Stott (1857-1900)
Jeune Fille dans une prairie, 1880
Huile sur toile, 71,8 x 57,8 cm

George Frederic Watts (1817-1904) et assistants
L'Espérance, 1886
Huile sur toile, 142,2 x 111,8 cm

Sir Hamo Thornycroft (1850–1925)
Teucer, 1881
Bronze, 240,7 x 151,1 x 66 cm

Sir Frank Dicksee (1853-1928)
Les Deux Couronnes, 1900
Huile sur toile, 231,1 x 184,2 cm

Sir William Quiller Orchardson (1832-1910)
Le Premier Nuage, 1887
Huile sur toile, 83,2 x 121,3 cm

Stanhope Alexander Forbes (1837-1947)
A la santé de la mariée, 1889
Huile sur toile, 152,4 x 200 cm

Anna Lea Merritt (1844-1930)
L'Amour mis à la porte, 1889
Huile sur toile, 115,6 x 64,1 cm

Sir Lawrence Alma-Tadema (1836-1912)
Une habitude favorite, 1909
Huile sur panneau, 66 x 45,1 cm

John William Waterhouse (1849-1917)
La Dame d'Escalot, 1888
Huile sur toile, 153 x 200 cm

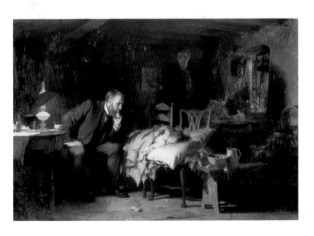

Sir Luke Fildes (1843-1927)
Le Médecin, exposé en 1891
Huile sur toile, 166,4 x 241,9 cm

John Singer Sargent (1856-1925)
Œillet, lis, lis, rose, 1885-1886
Huile sur toile, 174 x 153,7 cm

John Singer Sargent (1856-1925)
Ellen Terry en Lady Macbeth, 1889
Huile sur toile, 221 x 114,3 cm

John Singer Sargent (1856–1925)
Almina, fille d'Asher Wertheimer, 1908
Huile sur toile, 134 x 101 cm

Alfred Drury (1856–1944)
Grisélidis, 1896
Bronze, 53,3 x 48,3 x 25,4 cm

Frank Bramley (1857-1915)
Aube sans espoir, 1888
Huile sur toile, 122,6 x 167,6 cm

William Logsdail (1859-1944)
St. Martin-in-the-Fields, 1888
Huile sur toile, 143,5 x 118,1 cm

Thomas Cooper Gotch (1854-1931)
Alleluia, exposé en 1896
Huile sur toile, 133,3 x 184,1 cm

Herbert Draper (1863-1920)
La Lamentation sur Icare, exposé en 1898
Huile sur toile, 182,9 x 155,6 cm

Aubrey Beardsley (1872-1898)
La Grosse Dame, 1894
Plume et lavis d'encre sur papier, 17,8 x 16,2 cm

Aubrey Beardsley (1872-1898)
Messaline et sa compagne, 1895
Crayon, encre et aquarelle sur papier, 27,9 x 17,8 cm

Philip Wilson Steer (1860-1942)
La Plage de Boulogne, 1888-1891
Huile sur toile, 61 x 76,5 cm

Roderic O'Conor (1860–1940)
Paysage jaune, 1892
Huile sur toile, 67,6 x 91,8 cm

LE XXᵉ SIÈCLE

L'avant-garde en Grande-Bretagne, au début du XXᵉ siècle, est pour une grande part une émanation de ce qui se joue sur le continent. A Sickert, élève de Whistler et ami de Degas, revient d'avoir transmis auprès d'une nouvelle génération, dans les années 1890 et au-delà, les derniers bouleversements de la peinture française, encore assez mal connus dans l'île. En 1911, avec Spencer Gore, Harold Gilman, Charles Ginner et Robert Bevan, il forme le Camden Town Group. Sous l'influence du post-impressionnisme, ces artistes représentent des paysages urbains et des scènes de la vie londonienne, souvent la plus misérable.

En 1910 et 1912, le peintre et théoricien Roger Fry organise deux expositions qui pour la première fois font connaître à un large public londonien les œuvres de Manet, Cézanne, Matisse et Picasso. S'ensuit une soudaine floraison d'avant-garde dans la capitale, reprenant à son compte le réalisme post-impressionniste du Camden Town Group, la peinture décorative, d'inspiration cézannienne, du groupe de Bloomsbury : Duncan Grant et Vanessa Bell, la sculpture de Jacob Epstein, et l'abstraction des peintres vorticistes Wyndham Lewis et David Bomberg. *Le Bain de boue* de ce dernier (page ci-contre et p. 236) est bâti sur une distorsion des formes humaines, mais sa composition est fragmentée et géométrique jusqu'aux confins de l'abstraction. Bomberg écrit : « [dans de telles œuvres] j'en appelle à un certain sens de la forme… je délaisse totalement le naturalisme traditionnel. Je pars à la recherche d'une expression intérieure ». C'est précisément cette recherche qui allait par la suite devenir la marque de tout un aspect du modernisme, dans ses meilleures manifestations.

La première guerre mondiale voit l'arrêt de cette période de remise en cause, et apparaît comme l'extériorisation de l'écroulement d'un ordre ancien, prévu par Lewis et Bomberg, entre autres. L'après-guerre voit, pour un temps, la restauration d'une figuration moins audacieuse. Stanley Spencer en est l'un des représentants les plus significatifs à partir des années 1920, son style mêlant de menus détails d'observation à une vision subjective de la modernité, à la lumière de ses convictions religieuses (p. 250-251).

Le début des années 1930 voit la naissance d'un modernisme et d'une abstraction plus austères, tout d'abord au sein du jeune groupe conduit par Ben Nicholson, Barbara Hepworth et Henry Moore. Ils prennent la relève de la conservatrice Seven and Five Society, qu'ils transforment en fer de lance de l'avant-garde, tout en cultivant des liens avec les peintres abstraits à Paris. Nicholson et Hepworth passent presque toute la seconde guerre mondiale à St. Ives en Cornouailles. Après la guerre, et au cours des années 1950, une communauté de peintres abstraits s'y développe, exploitant le potentiel expressif de la couleur et de la surface picturale, dans le refus de la figuration.

A la fin des années 1950 et dans les années 1960, à Londres, une forme originale de Pop art est promue par Richard Hamilton, Eduardo Paolozzi et Peter Blake, passionnés surtout de publicité et de musique pop. Une nouvelle génération de sculpteurs s'écarte du style de Hepworth et Moore, qui était devenu la norme. Au début des années 1960, Anthony Caro fait de la sculpture abstraite avec de l'acier peint (p. 290) ; puis d'autres se tournent vers des matériaux nouveaux, tels le fibre de verre et le plastique, qu'ils associent pour la première fois à la sculpture.

Depuis les années 1970, l'art conceptuel et les installations sont devenus un aspect important de l'avant-garde en Grande-Bretagne, dont les représentants, délaissant les matériaux et les styles traditionnels, recourent à des objets et des media divers. Les dernières décennies ont pourtant vu la persistance de la tradition figurative illustrée par l'Ecole de Londres, avec Francis Bacon, Lucian Freud, Frank Auerbach, R. B. Kitaj et Leon Kossoff. Ces peintres puisent leur inspiration dans leur entourage londonien, en restant fidèles au potentiel émotionnel de la figure.

De nombreuses œuvres des années 1980 dues à la jeune génération ont trait aux problèmes politiques d'identité nationale, entre autre à cause d'un gouvernement qui a préféré au consensus d'après-guerre l'affrontement direct. Construite à partir d'objets trouvés à Londres, la *Grande-Bretagne vue du nord*, de Tony Cragg (p. 303), est née d'un sentiment d'étrangeté, à son retour de l'étranger, dans une Angleterre minée par les conflits internes et les difficultés économiques. *Le Citoyen* de Richard Hamilton (p. 301) est l'évocation d'un prisonnier nationaliste irlandais en pleine grève de la faim.

Enfin, avec Richard Long, nous arrivons au dernier artiste représenté dans ce livre. Avec ses installations rassemblant des matériaux pris dans la nature, comme *Norfolk Flint Circle* (p. 312), il crée son art de la substance même de son pays, et semble ainsi réactiver dans un sens nouveau la longue tradition anglaise du naturalisme poétique.

Walter Richard Sickert (1860-1942)
Minnie Cunningham à l'Old Bedford, 1892
Huile sur toile, 76,5 x 63,8 cm

Walter Richard Sickert (1860-1942)
La Hollandaise, vers 1906
Huile sur toile, 51,1 x 40,6 cm

Walter Richard Sickert (1860-1942)
Ennui, vers 1914
Huile sur toile, 152,4 x 112,4 cm

Helen Beatrix Potter (1866-1943)
Les Souris dans leurs travaux d'aiguille, pour
« Le Tailleur de Gloucester », vers 1902
Plume, encre et aquarelle sur papier, 11,1 x 9,2 cm

Arthur Rackham (1867-1939)
La Danse dans le jardin d'Amour, 1904
Plume, encre et aquarelle sur papier, 32,4 x 59,7 cm

Sir William Orpen (1878-1931)
Le Miroir, 1900
Huile sur toile, 50,8 x 40,6 cm

Gwen John (1876-1939)
Nu de jeune fille, 1909-1910
Huile sur toile, 44,5 x 27,9 cm

Sir William Rothenstein (1872-1945)
Lamentation des juifs à la synagogue, 1906
Huile sur toile, 127,5 x 115,5 cm

Frank Cadogan Cowper (1877-1958)
Lucrèce Borgia règne au Vatican en l'absence du pape Alexandre VI,
1908-1914. Huile sur toile, 221 x 153,7 cm

William Strang (1859-1921)
Jour férié, 1912
Huile sur toile, 152,7 x 122,6 cm

Jack Butler Yeats (1871–1957)
Le Matin après la pluie, 1912–1913
Huile sur toile, 61 x 91,4 cm

Robert Bevan (1865-1925)
Vente de chevaux au Barbican, 1912
Huile sur toile, 78,7 x 121,9 cm

Spencer Gore (1878-1914)
Le Chemin de cendres, 1912
Huile sur toile, 68,6 x 78,7 cm

James Dickson Innes (1887–1914)
Arenig, nord du Pays de Galles, 1913
Huile sur panneau, 85,7 x 113,7 cm

Eric Gill (1882-1940)
Extase, 1910-1911
Pierre de Portland, 137,2 x 45,7 x 22,8 cm

Sir Jacob Epstein (1880-1959)
Torse en métal, pour « La Foreuse », 1913-1914
Bronze, 70,5 x 58,4 x 44,5 cm

Henri Gaudier-Brzeska (1891-1915)
Danseuse en pierre rouge, vers 1913
Pierre rouge de Mansfield, polie et cirée, 43,2 x 22,9 x 22,cm

Christopher Richard Wynne Nevinson (1889-1946)
L'Arrivée, vers 1913
Huile sur toile, 76,2 x 63,5 cm

Wyndham Lewis (1882-1957)
Atelier, vers 1914-1915
Huile sur toile, 76,5 x 61 cm

Duncan Grant (1885-1978)
Le Bain, 1911
Tempera sur toile, 228,6 x 306,1 cm

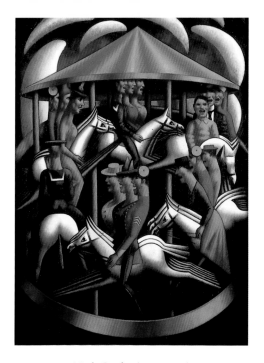

Mark Gertler (1891-1939)
Manège, 1916
Huile sur toile, 189,2 x 142,2 cm

Henry Lamb (1883-1960)
Lytton Strachey, 1914
Huile sur toile, 244,5 x 178,4 cm

Vanessa Bell (1879–1961)
Mrs. St. John Hutchinson, 1915
Huile sur carton, 73,7 x 57,8 cm

David Bomberg (1890-1957)
Le Bain de boue, 1914
Huile sur toile, 152,4 x 224,2 cm

Roger Fry (1866-1934)
Essai d'abstraction, 1914 ou 1915
Huile et collage sur panneau, 36,2 x 27 cm

Sir Matthew Smith (1879-1959)
Nu, Fitzroy Street, nº 1, 1916
Huile sur toile, 86,4 x 76,2 cm

Harold Gilman (1876-1919)
Mrs. Mounter à la table du petit déjeuner, vers 1917
Huile sur toile, 61 x 40,6 cm

Sir Alfred Munnings (1878-1959)
Epsom Downs – ville et faubourgs, 1919
Huile sur toile, 79,4 x 128,3 cm

Sir John Lavery (1856-1941)
Le Vestiaire des jockeys à Ascot, 1923
Huile sur toile, 63,5 x 81,3 cm

Charles Ricketts (1866-1931)
Don Juan, vers 1922
Huile sur toile, 116,2 x 95,9 cm

Augustus John (1878-1961)
Madame Suggia, 1920-1923
Huile sur toile, 186,7 x 165,1 cm

William Roberts (1895–1980)
Le Cinéma, 1920
Huile sur toile, 91,4 x 76,2 cm

John Nash (1893-1977)
Le Fossé à Grange Farm, Kimble, exposé en 1922
Huile sur toile, 76,2 x 50,8 cm

Alvaro Guevara (1894-1951)
Dame Edith Sitwell, exposé en 1919
Huile sur toile, 182,9 x 121,9 cm

Frank Dobson (1888-1963)
Sir Osbert Sitwell, Bt., 1923
Cuivre poli, 31,8 x 17,8 x 22,9 cm

L. S. Lowry (1887-1976)
La Sortie d'école, 1927
Huile sur panneau, 34,7 x 53,9 cm

David Jones (1895-1974)
Sanctus Christus de Capel-y-ffin, 1925
Gouache et crayon sur papier, 19,3 x 13,3 cm

249

Sir Stanley Spencer (1891–1959)
La Résurrection, Cookham, 1924-1927
Huile sur toile, 274,3 x 548,6 cm

Ernest Procter (1886–1935)
Le Zodiaque, 1925
Huile sur toile, 152,4 x 167,6 cm

Meredith Frampton (1894-1984)
Marguerite Kelsey, 1928
Huile sur toile, 120,8 x 141,2 cm

Charles Rennie Mackintosh (1868-1928)
Fetges, vers 1927
Aquarelle sur papier, 46,4 x 45,7 cm

Christopher Wood (1901–1930)
Bateau au port, Bretagne, 1929
Huile sur carton, 79,4 x 108,6 cm

Alfred Wallis (1855-1942)
« *La Maison à Port Mear Square Island, Port Mear Beach* »,
vers 1932 (?). Huile sur carton, 30,5 x 38,7 cm

Paul Nash (1889-1946)
Paysage à Iden, 1929
Huile sur toile, 69,8 x 90,8 cm

Charles Ginner (1878-1952)
Flask Walk, Hampstead, le jour du couronnement, 1937
Huile sur toile, 61 x 50,8 cm

Ivon Hitchens (1893–1979)
Couronnement, 1937
Huile sur toile, 90,2 x 121,9 cm

Sir William Nicholson (1872–1949)
Argent, 1938
Huile sur panneau, 43,8 x 57,1 cm

Edward Wadsworth (1889-1949)
Epave, 1937
Tempera sur lin tendu sur panneau, 71,1 x 101,6 cm

John Armstrong (1893-1973)
Tête rêvant, 1938
Tempera sur panneau, 47,8 x 79,4 cm

Eileen Agar (1899-1991)
Ange de l'anarchie, 1936-1940
Tissu et matériaux divers sur plâtre, 52 x 31,7 x 33,6 cm

F. E. McWilliam (1909-1992)
Profil, 1940
Bois de gaïac, 62,2 x 17,8 cm

Graham Sutherland (1903-1980)
Forme d'arbre : intérieur de bois, 1940
Huile sur toile, 78,7 x 107,9 cm

Francis Bacon (1909-1992)
Trois études pour des figures sous une Crucifixion, vers 1944
Huile sur carton, chacune 94 x 73,7 cm

Cecil Collins (1908-1989)
Le Fou dormant, 1943
Huile sur toile, 29,8 x 40 cm

Robert Colquhoun (1914-1962)
Femme au chat, 1945
Huile sur toile, 76,2 x 61 cm

Henry Moore (1898-1986)
Dormeurs en rose et vert, 1941
Plume, encre, aquarelle et gouache sur papier, 38,1 x 55,9 cm

Henry Moore (1898-1986)
Roi et reine, 1952-1953, fondu en 1957
Bronze, 163,8 x 138,4 x 84,5 cm

Ben Nicholson (1894-1982)
St. Ives, Cornouailles, 1943-1945
Huile et crayon sur toile, 40,6 x 50,2 cm

Dame Barbara Hepworth (1903-1975)
Pélagos, 1946
Bois, peinture et ficelle, 36,8 x 38,7 x 33 cm

Josef Herman (né en 1911)
Femme enceinte avec une amie, 1946
Pastel, crayon et aquarelle sur papier, 64,5 x 89,6 cm

William Turnbull (né en 1922)
Mobile Stabile, 1949
Bronze, 38,4 x 68,9 x 50,8 cm

Patrick Heron (né en 1920)
Fenêtre sur le port avec deux figures, St. Ives : juillet 1950, 1950
Huile sur carton, 121,9 x 152,4 cm

Victor Pasmore (né en 1908)
*Motif de spirale en vert, violet, bleu et or :
la côte de la mer intérieure*, 1950
Huile sur toile, 81,3 x 100,3 cm

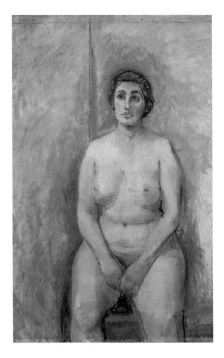

Sir William Coldstream (1908-1987)
Nu assis, 1951-1952
Huile sur toile, 106,7 x 70,7 cm

Lucian Freud (né en 1922)
Jeune Fille au chien blanc, 1950-1951
Huile sur toile, 76,2 x 101,6 cm

Kenneth Armitage (né en 1916)
Figures dans le vent, 1950
Bronze, 64,8 x 40 x 34,3 cm

Terry Frost (né en 1915)
Mouvement vert, noir et blanc, 1951
Huile sur toile, 109,2 x 85,1 cm

Bernard Meadows (né en 1915)
Crabe noir, 1951-1952
Bronze, 42,5 x 34 x 24,2 cm

John Bratby (1928–1992)
Les Toilettes, 1955
Huile sur carton, 117,1 x 87,2 cm

Reg Butler (1913-1981),
Modèle pour « Le Prisonnier politique inconnu », 1955-1956
Acier peint et bronze avec socle de plâtre, 223,8 x 87,9 x 85,4 cm

Sir Eduardo Paolozzi (né en 1924)
Cyclopes, 1957
Bronze, 111,1 x 30,5 x 20,3 cm

Peter Lanyon (1918-1964)
Thermique, 1960
Huile sur toile, 182,9 x 152,4 cm, ensemble

Keith Vaughan (1912-1977)
Baigneur : 4 août 1961, 1961
1961, Huile sur toile, 102,2 x 91,4 cm

Peter Blake (né en 1932)
Autoportrait aux badges, 1961
Huile sur carton, 174,3 x 121,9 cm

Michael Andrews (1928-1995)
Le Parc aux cerfs, 1962
Huile sur panneau, 214 x 244,5 cm

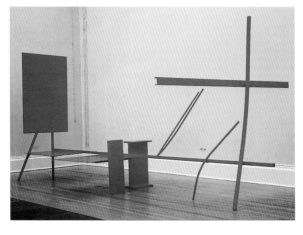

Sir Anthony Caro (né en 1924)
Un matin, tôt, 1962
Acier peint et aluminium, 289,6 x 619,8 x 335,3 cm

Bridget Riley (née en 1931)
Chute, 1963
Emulsion sur isorel, 141 x 140,3 cm

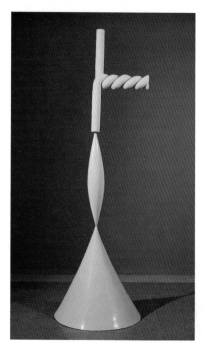

Phillip King (né en 1934)
Tralala, 1963
Plastique, 274,3 x 76,2 x 76,2 cm

Barry Flanagan (né en 1941)
aaing j gni aa, 1965
Plâtre, tissu et objets trouvés, 182,9 x 91,4 x 91,4 cm

Leon Kossoff (né en 1926)
Femme malade au lit au milieu de sa famille, 1965
Huile sur isorel, 185,4 x 124,5 cm

Frank Auerbach (né en 1931)
L'Origine de la Grande Ourse, 1967-1968
Huile sur carton, 114,3 x 139,7 cm

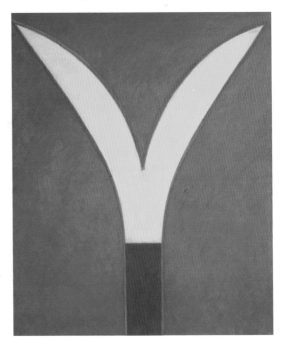

Peter Kinley (1926–1988)
Fleur jaune, 1966–1967
Huile sur toile, 152,4 x 127 cm

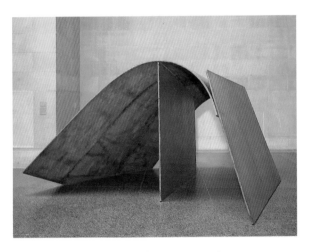

William Tucker (né en 1935)
Tunnel, 1972-1975
Carton et acier laminés, 213 x 384 x 327 cm

Patrick Caulfield (né en 1936)
Après le déjeuner, 1975
Acrylique sur toile, 248,9 x 213,4 cm

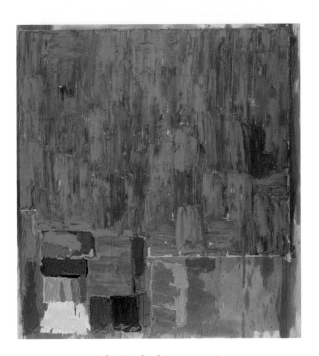

John Hoyland (né en 1934)
Sarrasin, 1977
Acrylique sur toile, 243,8 x 228,6 cm

John Walker (né en 1939)
Labyrinthe III, 1979-1980
Huile et cire sur toile, 245,7 x 298,8 cm

Richard Hamilton (né en 1922)
Le Citoyen, 1981-1983
Huile sur deux toiles, 206,7 x 210,2 cm, ensemble

Gilbert and George (nés en 1943 et 1942)
Angleterre, 1980
Trente photographies, 302,6 x 302,6 cm, ensemble

Tony Cragg (né en 1949)
La Grande-Bretagne vue du nord, 1981
Plastique et matériaux divers, 369,6 x 698,5 cm
et 170,2 x 58,4 cm

Anish Kapoor (né en 1954)
Comme si pour faire la fête, je découvrais une montagne où
fleurissaient des fleurs rouges, 1981
Bois, ciment, polystyrène et pigment, les trois éléments :
97 x 76,2 x 160 cm, 33 x 71,1 x 81,3 cm, et 21 x 15,3 x 47 cm

Richard Deacon (né en 1949)
Pour ceux qui ont des oreilles n° 2, 1983
Bois et résine, 273 x 400 x 110 cm

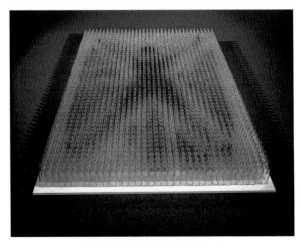

David Mach (né en 1956)
En pensant à l'Angleterre, 1983
Bouteilles laquées remplies d'eau, 20 x 168 x 233 cm

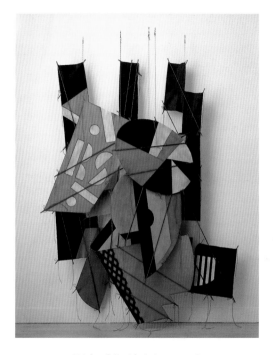

Richard Smith (né en 1931)
Le Typographe, 1986
Acrylique sur sept panneaux de toile suspendus à des baguettes
avec de la corde, 297,2 x 202 x 67,3 cm, ensemble

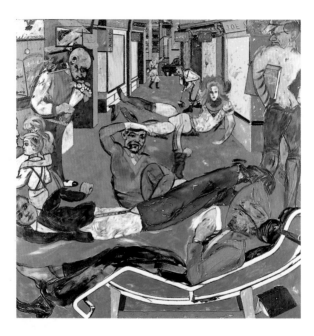

R. B. Kitaj (né en 1932)
Cecil Court, London WC 2, (Les Réfugiés), 1983-1984
Huile sur toile, 183 x 183 cm

Sir Howard Hodgkin (né en 1932)
Pluie, 1984-1989
Huile sur panneau, 164 x 179,5 x 5,1 cm

Ian Hamilton Finlay (né en 1925) avec John Andrew
Un Jardin de guerre, 1989
24 blocs de calcaire sur socles peints,
162 x 884 x 886 cm, ensemble

Bill Woodrow (né en 1948)
Aviron de verre, 1989
Verre, acier, émail, feuille d'or et vernis, 252 x 313 x 197 cm

Richard Long (né en 1945)
Norfolk Flint Circle, 1990
Silex de Norfolk, diamètre : 800 cm

INDEX DES ILLUSTRATIONS

Titre de l'ouvrage original : *Treasures of British Art - Tate Gallery*
Traduit de l'anglais (États-Unis) par : Xavier Carrère

© 1996 The Tate Gallery, Londres
Ouvrage original : © 1996, Abbeville Press, New York
Version française : © 1996, Éditions Abbeville, Paris
Mise en page de l'édition française : X-Act, Paris

Dépôt légal 4e trimestre 1996
ISBN 2-87946-113-8
Imprimé en Italie